© 2016 Éditions Mijade
18, rue de l'Ouvrage
B-5000 Namur
pour cette édition de poche
www.mijade.be

minedition

Michael Neugebauer Publishing Ltd, Hong Kong
© 2014 minedition France
pour l'édition en langue française

ISBN 978-2-87142-962-3
D/2016/3712/24

Imprimé en Belgique

Catherine Leblanc

Ève Tharlet

La voilà !

Mijade

Le bébé est bien caché.
C'est lui qui donne ce gros ventre à Maman.

Un matin, Martin se réveille
et va dire bonjour à ses parents,
mais ils ne sont pas dans leur chambre…
La maison est toute silencieuse. Que se passe-t-il ?
Il descend l'escalier. Personne…
Ses parents ne l'ont quand même pas laissé tout seul !
Un peu inquiet, il appelle : « Maman ? »

C'est sa mamie qui arrive… Qu'est-ce qu'elle fait là, si tôt ?
« Bonjour Martin ! Tu es déjà debout ?
Tes parents sont à la maternité ! Ta petite sœur est née cette nuit ! »
La petite sœur, ah oui, c'est vrai !
Il l'avait un peu oubliée ces derniers jours, mais il se réjouit :
enfin, il va pouvoir jouer avec elle !
« On va la voir, Mamie ? »
« Oui, cet après-midi, mon chéri. »
Martin mange de bon appétit.

À la maternité,
Martin trouve sa maman avec la petite sœur dans les bras.
Ça lui fait un drôle d'effet. On dirait qu'elle tient un trésor,
mais lui n'a plus la place de se lover contre elle.
Maman l'encourage : « Viens voir, Martin ! Elle dort… »
« Elle s'appelle Anna », dit son papa.
Martin approche. Qu'est-ce qu'elle est petite !

Elle n'ouvre même pas les yeux pour lui dire bonjour !
Elle est minuscule et ne fait rien.
Martin, déçu, préfère jouer avec le téléphone de son papa.

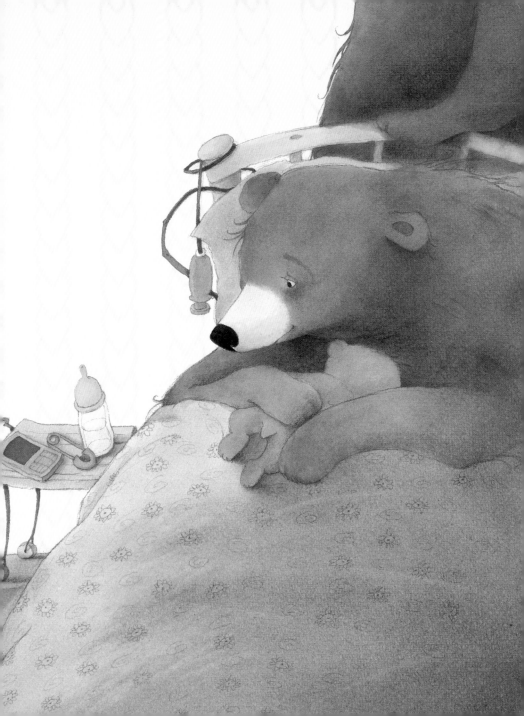

Quand Maman et Anna rentrent à la maison, c'est la fête !
Ils s'installent tous sur le canapé, rient et se font des câlins.

Les jours suivants, Martin veut jouer avec Maman,
mais elle est toujours occupée. Elle donne le bain d'Anna
et n'a même pas le temps de l'aider, lui, à s'habiller !
« Allez », dit-elle, « tu es grand ! »
Il veut jouer avec Papa, mais il est toujours pressé.
« Tu viens dehors ? » demande souvent Martin.

«Pas maintenant, mon bonhomme!»
Il ne s'occupe plus de lui, mais dès qu'il prend Anna, il s'écrie :
«Qu'est-ce qu'elle est jolie!»
Martin n'y comprend plus rien : ses parents lui demandent d'être grand
et ils sont en admiration devant un bébé qui ne sait ni parler, ni marcher!
Ce n'est pas la peine d'apprendre plein de choses nouvelles!

Anna dort tout près des parents.
Elle est souvent dans leurs bras,
et quand elle ne l'est pas, ils parlent tout le temps d'elle !

Parfois, elle se met à pleurer.
C'est fort et ça dure longtemps.
Parfois, elle sent mauvais !
Et ils la trouvent formidable !
Mais lui, il ne compte plus…

Alors, il refuse de se laver.
« Qu'est-ce qui te prend, Martin ? »
Il ne répond pas.
Il ne veut plus rien faire tout seul.

Maman insiste pour qu'il fasse sa toilette, et là,
il fait une colère, une grosse colère !

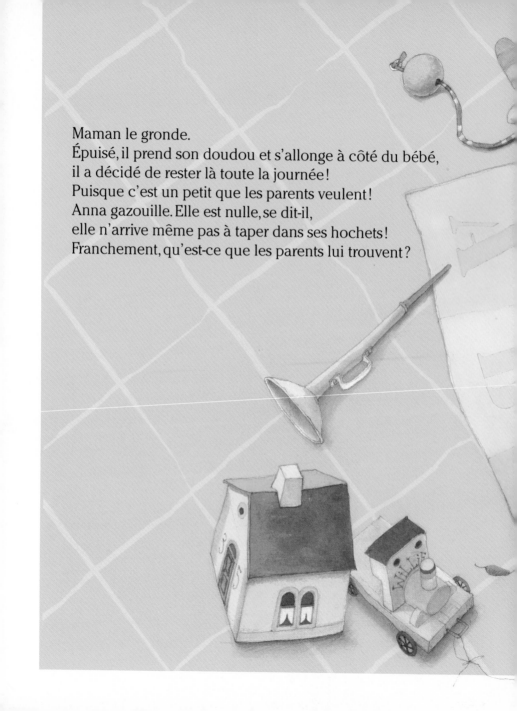

Maman le gronde.
Épuisé, il prend son doudou et s'allonge à côté du bébé,
il a décidé de rester là toute la journée !
Puisque c'est un petit que les parents veulent !
Anna gazouille. Elle est nulle, se dit-il,
elle n'arrive même pas à taper dans ses hochets !
Franchement, qu'est-ce que les parents lui trouvent ?

Il la regarde de plus près.
Sa petite tête est toute ronde et douce.
Il caresse sa joue. La petite le regarde et Martin lui dit :
«Coucou Anna, c'est moi, ton grand frère!»

Elle le touche avec ses pieds.
Elle est rigolote, quand même.
Il mesure sa main avec la minuscule main d'Anna.

Il s'amuse à parler bébé : A-e, A-e…
Elle arrondit sa bouche pour l'imiter.
C'est la première fois qu'ils arrivent
à jouer un peu tous les deux.

Anna ne peut pas se lever toute seule,
ni s'asseoir, ni marcher.
Elle n'a pas de chance d'être si petite !
« Je vais te faire un château », dit Martin.
Et il reconstruit sa tour.

Il demande à Maman :
«Est-ce que je peux porter Anna ?»
«D'accord, mais fais bien attention !»
Elle pose le bébé dans ses bras.
Oh, c'est lourd !
Il fait quelques pas, ça va.

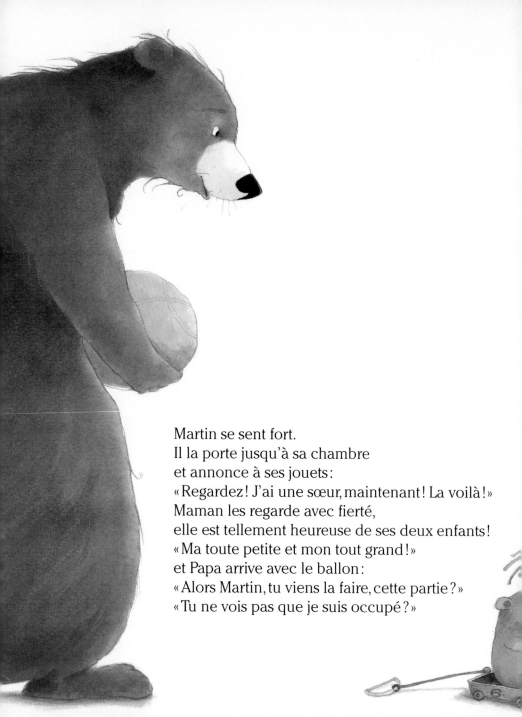

Martin se sent fort.
Il la porte jusqu'à sa chambre
et annonce à ses jouets :
« Regardez ! J'ai une sœur, maintenant ! La voilà ! »
Maman les regarde avec fierté,
elle est tellement heureuse de ses deux enfants !
« Ma toute petite et mon tout grand ! »
et Papa arrive avec le ballon :
« Alors Martin, tu viens la faire, cette partie ? »
« Tu ne vois pas que je suis occupé ? »